Lire avec Maman

Le Petit Chaperon Rouge

Texte de Janet Brown
Illustrations de Ken Morton

EDDL

Un bûcheron et sa femme habitaient dans une maisonnette aux abords de la forêt. Ils avaient une jolie petite fille, qui était aimée de tous ceux qu'elle rencontrait. La femme du bûcheron offrit à sa fille une très belle cape rouge avec une grande capuche.

Elle lui allait tellement bien que très vite on l'appela le Petit Chaperon Rouge.

Quel est le surnom que l'on donne à la petite fille ?

Un jour, la femme du bûcheron fit un gâteau qu'elle mit dans un panier avec une bouteille de limonade.

« Ta grand-mère est souffrante » dit-elle au Petit Chaperon Rouge.

« Je voudrais que tu lui portes ce panier. Mais tu dois me promettre de ne pas t'arrêter en chemin, et de ne pas parler aux inconnus. Et surtout, ne t'écartes pas du sentier ! »

Que porte le Petit Chaperon Rouge à sa grand-mère ?

Le Petit Chaperon Rouge se mit en chemin gaiement, sur le sentier qui s'enfonce dans la forêt. Au loin, elle entendait le bruit de la hache de son papa qui travaillait dans les bois.

Soudain, elle vit surgir un grand loup affamé. Lui aussi avait entendu le bûcheron au travail, alors il fit semblant d'être très gentil. « Mais où vas-tu donc avec ce joli panier, mon enfant ? » demanda le loup. Sans réfléchir, le Petit Chaperon Rouge répondit :
« Je vais le porter à ma grand-mère qui est malade. »

« Comme tu es gentille ! » lui dit le loup rusé. « Mais je suis sûr que ta grand-mère serait contente d'avoir un joli bouquet de fleurs en plus. »

Pourquoi le loup fait-il semblant d'être gentil avec la petite fille ?

« Quelle bonne idée ! » dit la petite fille. Alors elle s'écarta du sentier pour cueillir quelques fleurs pour sa grand-mère.

Mais elle ne savait pas que le méchant loup connaissait la maison de sa grand-mère.

Elle ne se doutait pas que le loup était en train de courir vers la maison de Grand-Mère, pendant que le Petit Chaperon Rouge était en train de faire un joli bouquet de fleurs.

Que fait le loup pendant que la petite fille
est en train de cueillir des fleurs ?

Le loup arriva chez la grand-mère bien avant le Petit Chaperon Rouge. Il frappa doucement à la porte.

Grand-mère attendait de la visite. « Ouvre donc la porte » dit-elle.

Elle se redressa pour mettre ses lunettes et vit le grand loup ! Elle sauta hors du lit et alla se mettre à l'abri dans un placard.

Pourquoi la grand-mère se cache-t-elle dans le placard ?

Le loup vit un lit vide, il savait que la grand-mère se cachait quelque part. Mais elle était vieille et maigre, et il se dit qu'il avait bien plus envie de manger le Petit Chaperon Rouge qui devait être bien tendre.
Le loup décida alors de se glisser dans le lit avec le bonnet de nuit et les lunettes de la grand-mère.

Pourquoi le loup met-il les lunettes et le bonnet de nuit de la grand-mère ?

Le Petit Chaperon Rouge arriva enfin à la maison de la grand-mère.

« Grand-Mère, que tu as de grands yeux ! » dit-elle, un peu surprise.

« C'est pour mieux te regarder, mon enfant » répondit le loup.

« Et quelles grandes oreilles tu as ! »

« C'est pour mieux t'entendre, mon enfant » répondit le loup.

« Et quelles grandes dents tu as ! »

« C'est pour mieux te manger, mon enfant ! » dit le loup en bondissant hors du lit.

Quelles sont les trois choses que remarque
le Petit Chaperon Rouge au sujet de sa grand-mère ?

« Au secours ! » s'écria le Petit Chaperon Rouge.

Son cri était si perçant, que sa voix parvint aux oreilles de son papa, qui était en train de déjeuner dans les bois.

Le bûcheron connaissait bien les bruits de la forêt, les chants des oiseaux, le pas des petits lapins, et le cri d'une petite fille qui est poursuivie par un loup !

Il lâcha son déjeuner et bondit vers la maison

Que fait le bûcheron quand il entend
les cris du Petit Chaperon Rouge?

Le loup était en train d'essayer d'attraper le Petit Chaperon Rouge. Soudain, le bûcheron entra dans la petite maison en faisant tournoyer sa hache au-dessus de sa tête ! Le loup eut tellement peur qu'il sortit par une fenêtre et s'enfuit à toutes jambes !

Le bûcheron prit sa fille dans ses bras et ils allèrent sortir Grand-Mère de son placard. Ils s'assirent tous ensemble et mangèrent le délicieux gâteau.

« Je ne parlerais plus jamais aux inconnus » promit le Petit Chaperon Rouge.

Que promet le Petit Chaperon Rouge à son papa ?

Sur une feuille de papier, entraîne-toi
à écrire les mots suivants :

un loup rusé

une cape rouge

forêt

panier

bonnet de nuit